ALFAGUARA

OSITO

Osito

Else Holmelund Minarik
Ilustraciones de **Maurice Sendak**

ALFAGUARA

OSITO
D.R. © Del texto: Else Holmelund Minarik, 1957.
D.R. © De las ilustraciones: Maurice Sendak, 1957.
D.R. © Ediciones Alfaguara, S.A., 1980
D.R. © Altea, Taurus, Alfaguara, S.A., 1986
D.R. © Santillana, S.A., 1993
D.R. © Aguilar, Altea, Taurus, Alfaguara, S.A. de C.V., 1999

D.R. © De esta edición:
Santillana Ediciones Generales S.A. de C.V., 2004
Av. Universidad 767, Col. Del Valle
México, 03100, D.F. Teléfono 5420 7530
www.alfaguarainfantil.com.mx

Éstas son las sedes del **Grupo Santillana**:

ARGENTINA, BOLIVIA, CHILE, COLOMBIA, COSTA RICA, ECUADOR, EL SALVADOR, ESPAÑA, ESTADOS UNIDOS, GUATEMALA, MÉXICO, PANAMÁ, PERÚ, PUERTO RICO, REPÚBLICA DOMINICANA, URUGUAY Y VENEZUELA.

Primera edición en Alfaguara México: diciembre de 1999.
Primera edición en Editorial Santillana, S.A. de C.V.: septiembre de 2002
Primera reimpresión: mayo de 2003
Segunda reimpresión: octubre de 2003
Primera edición en Santillana Ediciones Generales S.A. de C.V.: marzo de 2004
Primera reimpresión: octubre de 2004
Segunda reimpresión: octubre de 2005

ISBN: 968-19-0622-5

Diseño de la colección:
José Crespo, Rosa Marín, Jesús Sanz

Impreso en México

PARA BROOKE ELLEN Y WALLY

Índice

¿Qué se pondrá Osito?

—¡Qué frío! —dijo mamá Osa—.
Mira la nieve, Osito.
—Mamá Osa, tengo frío —dijo Osito.
—Vete, frío —dijo mamá Osa—,
que mi Osito es mío.

9

Mamá Osa cosió algo para Osito.
—Mira Osito —le dijo—.
Tengo algo para ti.
—¡Qué bien! —dijo Osito.

10

–Es un gorro para el frío.
–¡Qué bien, qué bien, qué bien!
–dijo Osito–. ¡Fuera, frío,
que mi gorro es mío!

Osito volvió a casa.

– ¿Qué te pasa, Osito?

– Tengo frío –dijo Osito.

– Vete, frío –dijo mamá Osa –,
que mi Osito es mío.

Mamá Osa cosió otra cosa para Osito.

12

–Mira, Osito –dijo–.
Tengo algo para ti.
–¡Qué bien, un abrigo para el frío!
–dijo Osito–. ¡Fuera, frío,
que el abrigo es mío!

Y se fue a jugar.

Osito volvió a casa otra vez.

—¿Qué te pasa, Osito?

—Tengo frío —dijo Osito.

—Vete, frío —dijo mamá Osa—,
que mi Osito es mío.

Entonces mamá Osa
cosió otra cosa para Osito.

—Mira, Osito —le dijo—.
Tengo algo para ti.
Póntelo y no tendrás frío.

—¡Qué bien, qué bien, qué bien!
—dijo Osito—. ¡Un pantalón
para la nieve! ¡Fuera, frío,
que el pantalón es mío!

Y Osito se fue a jugar.

Osito volvió a casa otra vez.

– ¿Qué te pasa, Osito?

– Tengo frío –dijo Osito.

– Vete, frío –dijo mamá Osa –,
que mi Osito es mío.

16

—Osito mío —dijo mamá Osa—,
tienes un gorro, tienes un abrigo,
tienes un pantalón para la nieve.
¿Quieres tener también
un abrigo de piel?

17

—¡Sí! —dijo Osito—.
Quiero también un abrigo de piel.

Entonces mamá Osa
le quitó el gorro, el abrigo,
el pantalón para la nieve
y le dijo:
—¡Ea! Ya tienes abrigo de piel...

—¡Qué bien, qué bien, qué bien!
—dijo Osito—. ¡Ya tengo
un abrigo de piel!
Ahora ya no tendré frío.

Y, efectivamente, ya no tuvo frío.
¿Qué os parece?

La sopa de cumpleaños

—¡Mamá Osa! ¡Mamá Osa!
—llamó Osito—. ¡Ay, qué puedo hacer?
Mamá Osa no está
y hoy es mi cumpleaños.

–Mis amigos van a venir
y no tengo una tarta de cumpleaños.
Y sin tarta de cumpleaños,
¿qué voy a hacer?

La olla está al fuego
y el agua está caliente.
Si echo algo en el agua,
puedo hacer una sopa de cumpleaños.
A todos mis amigos
les gusta la sopa.

Voy a ver qué hay.
Hay zanahorias y patatas,
guisantes y tomates.
Puedo hacer sopa de zanahorias,
patatas, guisantes y tomates.

Osito empezó a hacer la sopa
en la gran olla negra...

Gallina llegó la primera.
—¡Feliz cumpleaños, Osito! —dijo.
—Gracias, Gallina —contestó Osito.

Gallina dijo:

—¡Mmm...! Algo huele bien aquí.
¿Está en la gran olla negra?

—Sí —respondió Osito—.
Estoy haciendo sopa de cumpleaños.
¿Quieres quedarte a probarla?

—¡Ya lo creo, muchas gracias!
—dijo Gallina.

Y se sentó a esperar.

Llegó después Pato.

– ¡Felicidades, Osito! –dijo Pato.

– Gracias, Pato –contestó Osito.

– ¡Mmm...! –dijo Pato–.

Algo huele bien aquí.

¿Está en la gran olla negra?

—Sí —contestó Osito—.
Estoy haciendo sopa de cumpleaños.
¿Quieres quedarte
y tomar un poco con nosotros?
—¡Oh, sí, gracias! —respondió Pato.

Y se sentó a esperar.

25

Llegó después Gato.

—¡Feliz cumpleaños, Osito! —dijo.

—Gracias, Gato —contestó Osito.
Espero que te guste
lo que estoy haciendo.
Es sopa de cumpleaños.

Gato dijo:
—¿De verdad sabes cocinar?
Si es cierto que sabes hacer sopa,
me quedaré a comerla.

Osito probó la sopa y anunció:
—¡La sopa de cumpleaños ya está hecha!
Y hay que comerla ahora.
No podemos esperar a mamá Osa.
No sé dónde está
ni cuando volverá.

—Mira, Gallina,
hay un cuenco de sopa para ti
—dijo Osito—.
Y otro para ti, Pato.

Y este cuenco es el tuyo, Gato.
Y éste es para mí.
Ya podemos tomar todos
la sopa de cumpleaños.

29

Gato vio a mamá Osa

empujando la puerta. Y dijo:

—¡Espera, Osito!

No empieces todavía.

Cierra los ojos y cuenta hasta tres.

Osito cerró los ojos y contó:

–Uno, dos, tres...

Mamá Osa entró
con una estupenda tarta.

–¡Ya puedes mirar! –dijo Gato.

31

–¡Mamá Osa! –exclamó Osito–.
¡Qué tarta de cumpleaños
más grande y más rica!
La sopa de cumpleaños está buena,
pero no tan buena como esa tarta.
¡Estoy tan contento de que no
te hayas olvidado de mi cumpleaños!

–¡Feliz cumpleaños, Osito!
–dijo mamá Osa–.
Esta tarta de cumpleaños
es una sorpresa
que te preparaba.
Nunca me olvido de tu cumpleaños
y nunca me olvidaré.

Osito va a la Luna

– Tengo un casco espacial nuevo
–dijo Osito a mamá Osa –.
Me voy a la Luna.
– ¿De verdad? –exclamó mamá Osa.

—Sí. Voy a volar hasta la Luna.

—¿Volar? —se asombró mamá Osa—.
¡Tú no puedes volar, Osito!

—Los pájaros vuelan —dijo Osito.

—Es verdad —contestó mamá Osa—.
Los pájaros vuelan, pero no
pueden llegar hasta la Luna.
Y, además, tú no eres un pájaro.

—Bueno, a lo mejor algunos pájaros
sí vuelan hasta la Luna.
Y a lo mejor, yo puedo volar
como esos pájaros —dijo Osito.

35

—Y a lo mejor... —dijo mamá Osa—.
A lo mejor, resulta que sólo eres
un osezno gordo sin alas ni plumas.

Y a lo mejor,
si das un gran salto, te caes
y te das un buen porrazo.

—A lo mejor, sí —concedió Osito—,
pero de todos modos me marcho.
Tú mira bien para ver si me ves
volar por el cielo.

—Vuelve
para la hora de comer
—le advirtió mamá Osa.

Osito pensaba:
"Saltaré desde un sitio muy alto,
subiré por el cielo arriba, arriba...
Volaré a tanta velocidad
que no podré mirar las cosas,
así que iré con los ojos cerrados."

Osito subió a lo más alto
de una pequeña colina.
Se encaramó a la copa de un arbolito
que había en la pequeña colina.
Cerró los ojos y saltó.

Cayó, y se dio un tremendo porrazo.
Rodó, dando volteretas colina abajo.
Cuando terminó de rodar,
se levantó y miró a su alrededor.
–¡Qué bien! –exclamó–.
¡Ya estoy en la Luna!
La Luna parece igual, igual que la Tierra.

—¡Huy! —se admiró Osito—.
Los árboles son iguales que los nuestros.
Y también los pájaros.

41

—¡Pero, bueno! —se asombró Osito—.
¡Si aquí hay una casa
que es igual, igual que la mía!

42

—Voy a entrar para ver
qué clase de osos viven en ella.
¡Pero, bueno,
si hay comida en la mesa!
Y parece comida buena para un osito...

43

Entonces entró mamá Osa:

—¿Quién eres tú?

¿Eres un oso de la Tierra? —preguntó

—¡Sí que lo soy! —contestó Osito—.

Me subí a una colina

y salté desde lo alto de un arbolito.

Volé hasta aquí como los pájaros.

44

–¡Vaya! –dijo mamá Osa–.
Mi osito hizo lo mismo.
Se puso un casco espacial
y voló hacia la Tierra.

45

Así es que me parece
que puedes comerte su comida.

Osito abrazó a mamá Osa y dijo:
—Mamá Osa, deja de bromear.
Tú eres mi mamá Osa
y yo soy tu Osito;
y estamos en la Tierra y tú lo sabes.
Y ahora, ¿puedo comerme mi comida?

—¡Pues claro! —contestó mamá Osa—.
Y después puedes dormir tu siesta
en tu camita.
Porque tú eres mi Osito
y yo lo sé.

El deseo de Osito

—Oye, Osito —dijo mamá Osa.

—Sí, mamá —respondió Osito.

—¿No te duermes? —preguntó mamá Osa.

—No, mamá —contestó Osito—.
No puedo dormirme.

—¿Por qué? —quiso saber mamá Osa.

—Porque tengo un deseo —explicó Osito.

—Y ¿cuál es tu deseo?
—preguntó mamá Osa.

—Querría poder sentarme sobre una nube
y volar por todas partes —dijo Osito.

—Eso es imposible, Osito mío.

—Pues entonces querría encontrar
un barco vikingo —continuó Osito.

Y que los vikingos me dijeran:
"¡Ven con nosotros, ven con nosotros!
¡Nos vamos lejos, lejos, lejos...!"
– Eso es imposible, Osito mío
– explicó mamá Osa.

51

—Pues entonces querría encontrar
un túnel que llegase hasta la China.
Yo iría a la China y, al volver,
te traería unos palillos.
 —Eso es imposible, Osito mío
 —repitió mamá Osa.
 —Pues entonces querría tener
un gran coche rojo —dijo Osito—.

Correría mucho, mucho, mucho...
Y llegaría a un castillo enorme.

53

Saldría una princesa y me diría:
"Toma un trozo de pastel, Osito";
y yo me lo comería.

–Eso es imposible, Osito mío
–volvió a decir mamá Osa.

–Pues entonces querría –dijo Osito–
que una mamá Osa viniera y me dijera:
"¿Quieres que te cuente un cuento?"

–¡Ah, bueno! –exclamó mamá Osa–,
tal vez eso sí sea posible.
Es un deseo muy razonable.

–Gracias, mamá –se alegró Osito–.
La verdad es que eso es
lo que yo estaba deseando.

–¿Qué clase de cuento quieres
que te cuente? –preguntó mamá Osa.

–Uno que hable de mí –pidió Osito–.
Cuéntame cosas que yo he hecho.

–Bueno, pues una vez
–empezó mamá Osa–,
estabas jugando en la nieve
y tenías frío, así que yo...
–¡Ah, sí! Aquello fue muy divertido
–exclamó Osito–.
Cuéntame más cosas de mí.

—Pues otra vez —siguió mamá Osa—,
te pusiste un casco espacial
y jugaste a ir volando hasta la Luna.
—Aquello también fue muy divertido
—dijo Osito.

—Cuéntame más cosas de mí.

—Bueno, pues otra vez creíste
que no te había hecho tarta de cumpleaños
y tú hiciste sopa de cumpleaños...

—Sí, aquello también fue muy divertido
—recordó Osito—. Sobre todo cuando,
de repente, llegaste tú con la tarta.
Tú siempre haces cosas que me alegran...

—Pues ahora tú puedes hacer una cosa
que me alegre a mí —dijo mamá Osa.

—¿Qué cosa? —preguntó Osito.

—Puedes dormirte —dijo mamá Osa.

—Bueno, pues me dormiré —contestó Osito—.
Buenas noches, mamá.

—Buenas noches, Osito, que duermas bien.

Else Holmelund Minarik

Nació en Dinamarca y se mudó a Estados Unidos en 1924, cuando tenía cuatro años de edad. Estudió Psicología en Nueva York y fue reportera para un periódico de esa misma ciudad durante la Segunda Guerra Mundial.

Maurice Sendak

Hijo de emigrantes polacos de origen hebreo, nació en Nueva York, en 1928. Desde niño se dedicó a dibujar y en 1950 comenzó a publicar sus ilustraciones. Ha recibido muchos reconocimientos por su trabajo, el más importante de ellos fue el Premio Hans Christian Andersen, en su categoría de ilustradores, y es considerado uno de los autores clásicos de la literatura infantil.

Este libro terminó de imprimirse en octubre de 2005 en
Grupo Caz, Marcos Carrillo núm. 159, Col. Asturias, C. P.
06850, México, D. F.